arc-en-ciel
cascade

ISBN 978-2-7002-3180-9 • ISSN 1142-8252

L'école d'Agathe

Texte de Pakita
Images de J.-P. Chabot

Mon hamster
veut aller
à l'école

RAGEOT • ÉDITEUR

Vous connaissez Bloblotte ?

C'est mon **hamster.** Il est super gentil et je l'adore !

Si Bloblotte était perdu au milieu de mille hamsters, je suis sûre que je le retrouverais. Car il est unique au monde. Il est marron avec une jolie petite étoile blanche sur le front.

C'est maman qui me l'a offert pour mon anniversaire.

Bloblotte est le plus beau des hamsters ! Et en plus, lui aussi il m'adore ! Dès qu'il m'entend rentrer de l'école, il gratte ses pattes contre la cage pour me dire :

– Coucou ! Je suis là !

Alors vite, je le sors de sa cage, il vient sur mon lit, je lui raconte ce que j'ai fait à l'école en lui caressant la tête et il m'écoute.

Je l'ai appelé Bloblotte parce que, lorsqu'il joue avec sa **roue,** son petit derrière a la tremblote... C'est trop drôle !

Et Bloblotte reconnaît son nom ! Quand il est en liberté dans ma chambre, je dis :
– Bloblotte, où es-tu ?
Et Bloblotte court vers moi !

Si l'école des hamsters existait, Bloblotte serait le premier ! C'est vrai !

Quand je lis un livre, il vient se coucher sur ma page, ce qui veut dire en langage hamster :

– Tu m'apprends à lire, Agathe ?

Et l'autre fois, pendant que j'écrivais sur mon cahier, il a pris un crayon et il a essayé d'écrire lui aussi !

Mais comme il n'y arrivait pas, il a grignoté mon crayon.

Le matin, quand je pars à l'école, je lui fais une caresse sur le bout du **museau,** ensuite je le remets dans sa cage et je dis :

– À ce soir Bloblotte ! Sois bien sage, je te raconterai tout ce que j'ai appris en rentrant.

Bloblotte gigote, ses yeux rient, il se dresse sur ses pattes arrière comme s'il voulait me répondre :

– C'est d'accord Agathe ! Mais reviens vite !

Ce matin, quand je me suis approchée de lui, Bloblotte n'a pas bougé et ses yeux sont restés fermés.

Je lui ai promis de lui raconter plein d'histoires ce soir, mais il ne m'a même pas répondu.

Je lui ai caressé le **museau,** pourtant il n'a pas remué son petit derrière. J'ai pensé qu'il était triste que je l'abandonne.

Alors je l'ai sorti de sa cage, je l'ai pris dans ma main et je lui ai demandé :

– Bloblotte, tu veux venir avec moi à l'école, c'est ça ?

Et, je vous jure que c'est vrai, Bloblotte a secoué trois fois la tête, pour dire :

– Oh oui Agathe, s'il te plaît, emmène-moi en classe avec toi !

Hum… Un hamster à l'école ! C'est sûr, c'est INTERDIT. Un jour, Chloé, qui adore les animaux, a amené son crapaud. Résultat : ils ont été PUNIS tous les deux par lc directeur !

J'ai regardé Bloblotte.

Il avait l'air si triste que… vite, j'ai ouvert mon cartable et je l'ai glissé à l'intérieur.

– Agathe, tu es prête ? a crié maman.

Et zou, on est parties à l'école mais chut ! je n'ai pas dit à maman que j'emportais Bloblotte.

Dans la voiture, j'ai ouvert mon cartable, en cachette. Bloblotte dormait sur le chiffon de mon ardoise !

Et dans la cour, j'ai décidé de garder le secret pour ne pas être punie par madame Parmentier.

Mais en classe, je ne sais pas pourquoi, je n'ai pas pu m'empêcher de chuchoter à ma voisine :

– Zizette, tu sais quoi ? Bloblotte est dans mon cartable.

– C'est vrai ? Tu l'as amené à l'école ? Je veux lui dire bonjour !

– Tu es folle, la maîtresse va le voir et elle va me PUNIR !

– Allez Agathe, laisse-moi le caresser, sinon je le dis à tout le monde !

Et elle a chuchoté à l'oreille de Tom :

– Le hamster d'Agathe est dans son cartable, passe à ton voisin !

Tom l'a répété à Audrey qui l'a répété… et au bout d'une minute, toute la classe le savait.

Quelqu'un a murmuré dans mon dos :

– Agathe, c'est vrai que tu caches ton Bloblotte dans ton cartable ?

C'était Mathieu. Sa table se trouve juste derrière la mienne. Il n'arrête pas de m'embêter. Des fois, il me chatouille le cou, d'autres fois, il me gratte le dos avec sa règle et c'est toujours moi qui me fais GRONDER !

Je n'ai pas eu le temps de lui répondre…

– Zizette, Mathieu, Agathe, taisez-vous ! Agathe, viens au tableau !

C'était madame Parmentier.

Je **déteste** les opérations avec des retenues et là, évidemment, il y en avait une série sur le tableau et c'était à mon tour de les faire !

Je suis allée au tableau et j'ai commencé à compter à voix haute :

– 4 + 7 – cuh...

Je me suis retournée et là, **AH NON !** Mathieu avait la main dans mon cartable, il a sursauté en criant « Aïe ! » et, horreur d'horreur, j'ai vu Bloblotte s'échapper à toute vitesse vers la **grosse plante verte** de la classe.

– Qu'est-ce qu'il y a donc, Mathieu ? a demandé la maîtresse qui n'avait rien vu.

– C'est à cause du ham...

J'ai aussitôt lancé un regard avec des grandes flèches noires à Mathieu et il a compris le message !

– C'est à cause de ma règle, euh... elle est tombée et je me suis cogné en la ramassant.

– Regarde plutôt le tableau, Mathieu. Et toi, Agathe, continue...

Mais je ne pouvais pas ! Impossible !

Mes jambes tremblaient et les chiffres dansaient. Mes yeux ne quittaient pas Bloblotte ! **HOP !** Il grignotait une feuille de la plante verte. **HOP !** Il se cachait sous la chaise d'Audrey. **HOP !** Il tirait sur le pantalon de Guillaume.

C'est sûr, Bloblotte s'amusait comme un petit fou et moi, je répondais n'importe quoi !

– 4 + 7 = euh... 12.

La maîtresse s'est énervée.

– Agathe, applique-toi s'il te plaît !

C'est à ce moment que Zoé a mis le pied sur Bloblotte. Elle ne l'avait même pas vu. Il a couiné si fort qu'on aurait dit un **rugissement** de lion !

Alors j'ai crié pour que la maîtresse ne l'entende pas :

– 4 + 7 = 10 !!!

Toute la classe avait compris ce qui se passait et les yeux couraient sous les tables à la recherche de Bloblotte.

Moi, je faisais des grands signes derrière le dos de la maîtresse pour montrer où il se trouvait.

– Appelle Bloblotte ! a murmuré Louise au premier rang.

Mais non ! Si je l'appelais, il viendrait au tableau. Que faire ?

Soudain, Tom a bondi de sa chaise et s'est allongé par terre.

– Tom ! Relève-toi tout de suite sinon je te **PUNIS !** a crié la maîtresse très énervée.

Tom s'est relevé doucement, et en cachette il m'a fait le **V de la victoire.**

Mille fois ouf! Bloblotte était dans le **bonnet** de Tom! Et la maîtresse n'avait rien vu.

J'ai éclaté de rire et madame Parmentier s'est fâchée :

– Agathe, tu resteras en classe pendant la récréation!

C'était la première fois de ma vie que j'étais contente d'être PUNIE...

Tom m'a rendu Bloblotte en cachette pendant la récréation.

Il a chuchoté :

– Tu peux garder mon **bonnet.**

Et Bloblotte a dormi dedans jusqu'à l'heure de la sortie.

Mais quand j'ai voulu rendre son **bonnet** à Tom – horreur –, Bloblotte avait fait plein de **crottes** dedans !

Oh là là ! Il est tard !

Ce soir, Bloblotte a gonflé ses joues, ce qui veut dire en langage hamster :

– C'était trop bien l'école !

Mais je l'ai prévenu. Ce sera moi sa maîtresse et je lui ferai classe dans ma chambre !

Enfin... euh... bon... s'il est sage... on verra ! Allez bonne nuit, les hamsters !

L'école d'Agathe

Achevé d'imprimer en France en juillet 2008
par I. M. E. - 25110 Baume-Les-Dames
Dépôt légal : août 2008
N° d'édition : 4768 - 04